This Planner Belongs To:

_____

If Found, Please Contact Me At:

_____

Lauren-Sarah Wake Copyright © 2021

2022

January

S	M	T	W	T	F	S
						1
2	3	4	5	6	7	8
9	10	11	12	13	14	15
16	17	18	19	20	21	22
23	24	25	26	27	28	29
30	31					

February

S	M	T	W	T	F	S
		1	2	3	4	5
6	7	8	9	10	11	12
13	14	15	16	17	18	19
20	21	22	23	24	25	26
27	28					

March

S	M	T	W	T	F	S
		1	2	3	4	5
6	7	8	9	10	11	12
13	14	15	16	17	18	19
20	21	22	23	24	25	26
27	28	29	30	31		

April

S	M	T	W	T	F	S
					1	2
3	4	5	6	7	8	9
10	11	12	13	14	15	16
17	18	19	20	21	22	23
24	25	26	27	28	29	30

May

S	M	T	W	T	F	S
1	2	3	4	5	6	7
8	9	10	11	12	13	14
15	16	17	18	19	20	21
22	23	24	25	26	27	28
29	30	31				

June

S	M	T	W	T	F	S
			1	2	3	4
5	6	7	8	9	10	11
12	13	14	15	16	17	18
19	20	21	22	23	24	25
26	27	28	29	30		

July

S	M	T	W	T	F	S
					1	2
3	4	5	6	7	8	9
10	11	12	13	14	15	16
17	18	19	20	21	22	23
24	25	26	27	28	29	30
31						

August

S	M	T	W	T	F	S
	1	2	3	4	5	6
7	8	9	10	11	12	13
14	15	16	17	18	19	20
21	22	23	24	25	26	27
28	29	30	31			

September

S	M	T	W	T	F	S
				1	2	3
4	5	6	7	8	9	10
11	12	13	14	15	16	17
18	19	20	21	22	23	24
25	26	27	28	29	30	

October

S	M	T	W	T	F	S
						1
2	3	4	5	6	7	8
9	10	11	12	13	14	15
16	17	18	19	20	21	22
23	24	25	26	27	28	29
30	31					

November

S	M	T	W	T	F	S
		1	2	3	4	5
6	7	8	9	10	11	12
13	14	15	16	17	18	19
20	21	22	23	24	25	26
27	28	29	30			

December

S	M	T	W	T	F	S
				1	2	3
4	5	6	7	8	9	10
11	12	13	14	15	16	17
18	19	20	21	22	23	24
25	26	27	28	29	30	31

2022 Year Plans and Goals

January	February	March
April	May	June
July	August	September
October	November	December

Goals

- ☐ _____
- ☐ _____
- ☐ _____
- ☐ _____
- ☐ _____

- ☐ _____
- ☐ _____
- ☐ _____
- ☐ _____
- ☐ _____

January 2022

Main Focus

To Do

- ○ _____
- ○ _____
- ○ _____
- ○ _____
- ○ _____
- ○ _____
- ○ _____
- ○ _____
- ○ _____
- ○ _____
- ○ _____
- ○ _____

Sunday	Monday	Tuesday
2	3	4
9	10	11
16	17 Martin Luther King Jr. Day	18
23	24	25
30	31	

Wednesday	Thursday	Friday	Saturday
			1 New Year's Day
5	6	7	8
12	13	14	15
19	20	21	22
26	27	28	29

NOTES

FEBRUARY

2022

Main Focus

To Do

- ○ _____
- ○ _____
- ○ _____
- ○ _____
- ○ _____
- ○ _____
- ○ _____
- ○ _____
- ○ _____
- ○ _____
- ○ _____
- ○ _____

Sunday	Monday	Tuesday
		1
6	7	8
13	14	15
	Valentine's Day	
20	21	22
	President's Day	
27	28	

Wednesday	Thursday	Friday	Saturday
2	3	4	5
9	10	11	12
16	17	18	19
23	24	25	26

NOTES

	Sunday	Monday	Tuesday
March 2022			1
Main Focus	6	7	8
	13	14	15
To Do	20	21	22
○ _____ ○ _____ ○ _____ ○ _____ ○ _____ ○ _____ ○ _____ ○ _____ ○ _____ ○ _____ ○ _____	27	28	29

Wednesday	Thursday	Friday	Saturday
2	3	4	5
9	10	11	12
16	17 St. Patrick's Day	18	19
23	24	25	26
30	31		

NOTES

April

2022

Main Focus

To Do

- ○ _____
- ○ _____
- ○ _____
- ○ _____
- ○ _____
- ○ _____
- ○ _____
- ○ _____
- ○ _____
- ○ _____
- ○ _____
- ○ _____

Sunday	Monday	Tuesday
3	4	5
10	11	12
17	18	19
Easter Sunday		
24	25	26

Wednesday	Thursday	Friday	Saturday
		1	2
6	7	8	9
13	14	15	16
20	21	22	23
27	28	29	30

NOTES

May 2022

Main Focus

To Do

- ○ _____
- ○ _____
- ○ _____
- ○ _____
- ○ _____
- ○ _____
- ○ _____
- ○ _____
- ○ _____
- ○ _____
- ○ _____
- ○ _____

Sunday	Monday	Tuesday
1	2	3
8 Mother's Day	9	10
15	16	17
22	23	24
29	30 Memorial Day	31

Wednesday	Thursday	Friday	Saturday
4	5	6	7
11	12	13	14
18	19	20	21
25	26	27	28

NOTES

June 2022

Main Focus

To Do

- ○ _____
- ○ _____
- ○ _____
- ○ _____
- ○ _____
- ○ _____
- ○ _____
- ○ _____
- ○ _____
- ○ _____
- ○ _____
- ○ _____

Sunday	Monday	Tuesday
5	6	7
12	13	14
19 Father's Day Juneteenth	20	21
26	27	28

Wednesday	Thursday	Friday	Saturday
1	2	3	4
8	9	10	11
15	16	17	18
22	23	24	25
29	30		

NOTES

July 2022

Main Focus

To Do

- ○ _____
- ○ _____
- ○ _____
- ○ _____
- ○ _____
- ○ _____
- ○ _____
- ○ _____
- ○ _____
- ○ _____
- ○ _____
- ○ _____

Sunday	Monday	Tuesday
3	4	5
	Independence Day	
10	11	12
17	18	19
24	25	26
31		

Wednesday	Thursday	Friday	Saturday
		1	2
6	7	8	9
13	14	15	16
20	21	22	23
27	28	29	30

NOTES

August
2022

Main Focus

To Do

- ○ _____
- ○ _____
- ○ _____
- ○ _____
- ○ _____
- ○ _____
- ○ _____
- ○ _____
- ○ _____
- ○ _____
- ○ _____
- ○ _____

Sunday	Monday	Tuesday
	1	2
7	8	9
14	15	16
21	22	23
28	29	30

Wednesday	Thursday	Friday	Saturday
3	4	5	6
10	11	12	13
17	18	19	20
24	25	26	27
31			

NOTES

SEPTEMBER

2022

Main Focus

To Do

- ○ _____
- ○ _____
- ○ _____
- ○ _____
- ○ _____
- ○ _____
- ○ _____
- ○ _____
- ○ _____
- ○ _____
- ○ _____
- ○ _____

Sunday	Monday	Tuesday
		.
4	5	6
	Labor Day	
11	12	13
18	19	20
25	26	27

Wednesday	Thursday	Friday	Saturday
	1	2	3
7	8	9	10
14	15	16	17
21	22	23	24
28	29	30	

NOTES

October 2022

Main Focus

To Do

- ○ _____
- ○ _____
- ○ _____
- ○ _____
- ○ _____
- ○ _____
- ○ _____
- ○ _____
- ○ _____
- ○ _____
- ○ _____
- ○ _____

Sunday	Monday	Tuesday
2	3	4
9	10	11
	Columbus Day	
16	17	18
23	24	25
30	31	
	Halloween	

Wednesday	Thursday	Friday	Saturday
			1
5	6	7	8
12	13	14	15
19	20	21	22
26	27	28	29

NOTES

November 2022

Main Focus

To Do

- ○ _____
- ○ _____
- ○ _____
- ○ _____
- ○ _____
- ○ _____
- ○ _____
- ○ _____
- ○ _____
- ○ _____
- ○ _____
- ○ _____

Sunday	Monday	Tuesday
		1
6	7	8
13	14	15
20	21	22
27	28	29

Wednesday	Thursday	Friday	Saturday
2	3	4	5
9	10	11 Veterans Day	12
16	17	18	19
23	24 Thanksgiving Day	25	26
30			

NOTES

December 2022

Main Focus

To Do

- ○ _____
- ○ _____
- ○ _____
- ○ _____
- ○ _____
- ○ _____
- ○ _____
- ○ _____
- ○ _____
- ○ _____
- ○ _____
- ○ _____

Sunday	Monday	Tuesday
4	5	6
11	12	13
18	19	20
25 Christmas Day	26	27

Wednesday	Thursday	Friday	Saturday
	1	2	3
7	8	9	10
14	15	16	17
21	22	23	24
28	29	30	31 New Year's Eve

NOTES

2023

January

S	M	T	W	T	F	S
1	2	3	4	5	6	7
8	9	10	11	12	13	14
15	16	17	18	19	20	21
22	23	24	25	26	27	28
29	30	31				

February

S	M	T	W	T	F	S
			1	2	3	4
5	6	7	8	9	10	11
12	13	14	15	16	17	18
19	20	21	22	23	24	25
26	27	28				

March

S	M	T	W	T	F	S
			1	2	3	4
5	6	7	8	9	10	11
12	13	14	15	16	17	18
19	20	21	22	23	24	25
26	27	28	29	30	31	

April

S	M	T	W	T	F	S
						1
2	3	4	5	6	7	8
9	10	11	12	13	14	15
16	17	18	19	20	21	22
23	24	25	26	27	28	29
30						

May

S	M	T	W	T	F	S
	1	2	3	4	5	6
7	8	9	10	11	12	13
14	15	16	17	18	19	20
21	22	23	24	25	26	27
28	29	30	31			

June

S	M	T	W	T	F	S
				1	2	3
4	5	6	7	8	9	10
11	12	13	14	15	16	17
18	19	20	21	22	23	24
25	26	27	28	29	30	

July

S	M	T	W	T	F	S
						1
2	3	4	5	6	7	8
9	10	11	12	13	14	15
16	17	18	19	20	21	22
23	24	25	26	27	28	29
30	31					

August

S	M	T	W	T	F	S
		1	2	3	4	5
6	7	8	9	10	11	12
13	14	15	16	17	18	19
20	21	22	23	24	25	26
27	28	29	30	31		

September

S	M	T	W	T	F	S
					1	2
3	4	5	6	7	8	9
10	11	12	13	14	15	16
17	18	19	20	21	22	23
24	25	26	27	28	29	30

October

S	M	T	W	T	F	S
1	2	3	4	5	6	7
8	9	10	11	12	13	14
15	16	17	18	19	20	21
22	23	24	25	26	27	28
29	30	31				

November

S	M	T	W	T	F	S
			1	2	3	4
5	6	7	8	9	10	11
12	13	14	15	16	17	18
19	20	21	22	23	24	25
26	27	28	29	30		

December

S	M	T	W	T	F	S
					1	2
3	4	5	6	7	8	9
10	11	12	13	14	15	16
17	18	19	20	21	22	23
24	25	26	27	28	29	30
31						

2023 Year Plans and Goals

January	February	March
April	**May**	**June**
July	**August**	**September**
October	**November**	**December**

Goals

☐ _____   ☐ _____

☐ _____   ☐ _____

☐ _____   ☐ _____

☐ _____   ☐ _____

☐ _____   ☐ _____

January 2023

Main Focus

To Do
- ○ _____
- ○ _____
- ○ _____
- ○ _____
- ○ _____
- ○ _____
- ○ _____
- ○ _____
- ○ _____
- ○ _____
- ○ _____
- ○ _____

Sunday	Monday	Tuesday
1 New Year's Day	2	3
8	9	10
15	16 Martin Luther King Jr. Day	17
22	23	24
29	30	31

Wednesday	Thursday	Friday	Saturday
4	5	6	7
11	12	13	14
18	19	20	21
25	26	27	28

NOTES

FEBRUARY

2023

Main Focus

To Do

- ○ _____
- ○ _____
- ○ _____
- ○ _____
- ○ _____
- ○ _____
- ○ _____
- ○ _____
- ○ _____
- ○ _____
- ○ _____
- ○ _____

Sunday	Monday	Tuesday
5	6	7
12	13	14 Valentine's Day
19	20 President's Day	21
26	27	28

Wednesday	Thursday	Friday	Saturday
1	2	3	4
8	9	10	11
15	16	17	18
22	23	24	25

NOTES

	Sunday	Monday	Tuesday
March **2023**			
Main Focus	5	6	7
	12	13	14
To Do ○ _____ ○ _____ ○ _____ ○ _____ ○ _____ ○ _____ ○ _____ ○ _____ ○ _____ ○ _____ ○ _____ ○ _____	19	20	21
	26	27	28

Wednesday	Thursday	Friday	Saturday
1	2	3	4
8	9	10	11
15	16	17 St. Patrick's Day	18
22	23	24	25
29	30	31	

NOTES

April
2023

Main Focus

To Do

- ○ _____
- ○ _____
- ○ _____
- ○ _____
- ○ _____
- ○ _____
- ○ _____
- ○ _____
- ○ _____
- ○ _____
- ○ _____
- ○ _____

Sunday	Monday	Tuesday
2	3	4
9	10	11
Easter Sunday		
16	17	18
23	24	25
30		

Wednesday	Thursday	Friday	Saturday
			1
5	6	7	8
12	13	14	15
19	20	21	22
26	27	28	29

NOTES

May

2023

Main Focus

To Do

- ○ _____
- ○ _____
- ○ _____
- ○ _____
- ○ _____
- ○ _____
- ○ _____
- ○ _____
- ○ _____
- ○ _____
- ○ _____
- ○ _____

Sunday	Monday	Tuesday
	1	2
7	8	9
14 Mother's Day	15	16
21	22	23
28	29 Memorial Day	30

Wednesday	Thursday	Friday	Saturday
3	4	5	6
10	11	12	13
17	18	19	20
24	25	26	27
31			

NOTES

June

2023

Main Focus

To Do

- ○ _____
- ○ _____
- ○ _____
- ○ _____
- ○ _____
- ○ _____
- ○ _____
- ○ _____
- ○ _____
- ○ _____
- ○ _____
- ○ _____

Sunday	Monday	Tuesday
4	5	6
11	12	13
18 Father's Day	19 Juneteenth	20
25	26	27

Wednesday	Thursday	Friday	Saturday
	1	2	3
7	8	9	10
14	15	16	17
21	22	23	24
28	29	30	

NOTES

	Sunday	Monday	Tuesday
July **2023**			
Main Focus	2	3	4 Independence Day
To Do ○ _____ ○ _____ ○ _____ ○ _____ ○ _____ ○ _____ ○ _____ ○ _____ ○ _____ ○ _____ ○ _____ ○ _____	9	10	11
	16	17	18
	23	24	25
	30	31	

Wednesday	Thursday	Friday	Saturday
			1
5	6	7	8
12	13	14	15
19	20	21	22
26	27	28	29

NOTES

August 2023

Main Focus

To Do
- ○ _____
- ○ _____
- ○ _____
- ○ _____
- ○ _____
- ○ _____
- ○ _____
- ○ _____
- ○ _____
- ○ _____
- ○ _____

Sunday	Monday	Tuesday
		1
6	7	8
13	14	15
20	21	22
27	28	29

Wednesday	Thursday	Friday	Saturday
2	3	4	5
9	10	11	12
16	17	18	19
23	24	25	26
30	31		

NOTES

Main Focus

To Do

- ◯ _____
- ◯ _____
- ◯ _____
- ◯ _____
- ◯ _____
- ◯ _____
- ◯ _____
- ◯ _____
- ◯ _____
- ◯ _____
- ◯ _____
- ◯ _____

Sunday	Monday	Tuesday
3	4 Labor Day	5
10	11	12
17	18	19
24	25	26

Wednesday	Thursday	Friday	Saturday
		1	2
6	7	8	9
13	14	15	16
20	21	22	23
27	28	29	30

NOTES

October 2023

Main Focus

To Do
- ○ _____
- ○ _____
- ○ _____
- ○ _____
- ○ _____
- ○ _____
- ○ _____
- ○ _____
- ○ _____
- ○ _____
- ○ _____
- ○ _____

Sunday	Monday	Tuesday
1	2	3
8	9 Columbus Day	10
15	16	17
22	23	24
29	30	31 Halloween

Wednesday	Thursday	Friday	Saturday
4	5	6	7
11	12	13	14
18	19	20	21
25	26	27	28

NOTES

November 2023

Main Focus

To Do
- ○ _____
- ○ _____
- ○ _____
- ○ _____
- ○ _____
- ○ _____
- ○ _____
- ○ _____
- ○ _____
- ○ _____
- ○ _____

Sunday	Monday	Tuesday
5	6	7
12	13	14
19	20	21
26	27	28

Wednesday	Thursday	Friday	Saturday
1	2	3	4
8	9	10	11 Veterans Day
15	16	17	18
22	23 Thanksgiving Day	24	25
29	30		

NOTES

December 2023

Main Focus

To Do
- ○ _____
- ○ _____
- ○ _____
- ○ _____
- ○ _____
- ○ _____
- ○ _____
- ○ _____
- ○ _____
- ○ _____
- ○ _____
- ○ _____

Sunday	Monday	Tuesday
3	4	5
10	11	12
17	18	19
24	25 Christmas Day	26
31 New Year's Eve		

Wednesday	Thursday	Friday	Saturday
		1	2
6	7	8	9
13	14	15	16
20	21	22	23
27	28	29	30

NOTES

2024

January

S	M	T	W	T	F	S
	1	2	3	4	5	6
7	8	9	10	11	12	13
14	15	16	17	18	19	20
21	22	23	24	25	26	27
28	29	30	31			

February

S	M	T	W	T	F	S
				1	2	3
4	5	6	7	8	9	10
11	12	13	14	15	16	17
18	19	20	21	22	23	24
25	26	27	28	29		

March

S	M	T	W	T	F	S
					1	2
3	4	5	6	7	8	9
10	11	12	13	14	15	16
17	18	19	20	21	22	23
24	25	26	27	28	29	30
31						

April

S	M	T	W	T	F	S
	1	2	3	4	5	6
7	8	9	10	11	12	13
14	15	16	17	18	19	20
21	22	23	24	25	26	27
28	29	30				

May

S	M	T	W	T	F	S
			1	2	3	4
5	6	7	8	9	10	11
12	13	14	15	16	17	18
19	20	21	22	23	24	25
26	27	28	29	30	31	

June

S	M	T	W	T	F	S
						1
2	3	4	5	6	7	8
9	10	11	12	13	14	15
16	17	18	19	20	21	22
23	24	25	26	27	28	29
30						

July

S	M	T	W	T	F	S
	1	2	3	4	5	6
7	8	9	10	11	12	13
14	15	16	17	18	19	20
21	22	23	24	25	26	27
28	29	30	31			

August

S	M	T	W	T	F	S
				1	2	3
4	5	6	7	8	9	10
11	12	13	14	15	16	17
18	19	20	21	22	23	24
25	26	27	28	29	30	31

September

S	M	T	W	T	F	S
1	2	3	4	5	6	7
8	9	10	11	12	13	14
15	16	17	18	19	20	21
22	23	24	25	26	27	28
29	30					

October

S	M	T	W	T	F	S
		1	2	3	4	5
6	7	8	9	10	11	12
13	14	15	16	17	18	19
20	21	22	23	24	25	26
27	28	29	30	31		

November

S	M	T	W	T	F	S
					1	2
3	4	5	6	7	8	9
10	11	12	13	14	15	16
17	18	19	20	21	22	23
24	25	26	27	28	29	30

December

S	M	T	W	T	F	S
1	2	3	4	5	6	7
8	9	10	11	12	13	14
15	16	17	18	19	20	21
22	23	24	25	26	27	28
29	30	31				

2024 Year Plans and Goals

January	February	March
April	May	June
July	August	September
October	November	December

Goals

☐ _____   ☐ _____

☐ _____   ☐ _____

☐ _____   ☐ _____

☐ _____   ☐ _____

☐ _____   ☐ _____

January 2024

Main Focus

To Do
- ○ _____
- ○ _____
- ○ _____
- ○ _____
- ○ _____
- ○ _____
- ○ _____
- ○ _____
- ○ _____
- ○ _____
- ○ _____
- ○ _____

Sunday	Monday	Tuesday
	1 New Year's Day	2
7	8	9
14	15 Martin Luther King Jr. Day	16
21	22	23
28	29	30

Wednesday	Thursday	Friday	Saturday
3	4	5	6
10	11	12	13
17	18	19	20
24	25	26	27
31			

NOTES

FEBRUARY 2024

Main Focus

To Do

- ○ _____
- ○ _____
- ○ _____
- ○ _____
- ○ _____
- ○ _____
- ○ _____
- ○ _____
- ○ _____
- ○ _____
- ○ _____
- ○ _____

Sunday	Monday	Tuesday
4	5	6
11	12	13
18	19 President's Day	20
25	26	27

Wednesday	Thursday	Friday	Saturday
	1	2	3
7	8	9	10
14 Valentine's Day	15	16	17
21	22	23	24
28	29		

NOTES

March

2024

Main Focus

To Do

- ○ _____
- ○ _____
- ○ _____
- ○ _____
- ○ _____
- ○ _____
- ○ _____
- ○ _____
- ○ _____
- ○ _____
- ○ _____
- ○ _____

Sunday	Monday	Tuesday
3	4	5
10	11	12
17	18	19
St. Patrick's Day		
24	25	26
31		
Easter Sunday		

Wednesday	Thursday	Friday	Saturday
		1	2
6	7	8	9
13	14	15	16
20	21	22	23
27	28	29	30

NOTES

April 2024

Main Focus

To Do
- ○ _____
- ○ _____
- ○ _____
- ○ _____
- ○ _____
- ○ _____
- ○ _____
- ○ _____
- ○ _____
- ○ _____
- ○ _____

Sunday	Monday	Tuesday
	1	2
7	8	9
14	15	16
21	22	23
28	29	30

Wednesday	Thursday	Friday	Saturday
3	4	5	6
10	11	12	13
17	18	19	20
24	25	26	27

NOTES

May

2024

Main Focus

To Do

- ○ _____
- ○ _____
- ○ _____
- ○ _____
- ○ _____
- ○ _____
- ○ _____
- ○ _____
- ○ _____
- ○ _____
- ○ _____
- ○ _____

Sunday	Monday	Tuesday
5	6	7
12 Mother's Day	13	14
19	20	21
26	27 Memorial Day	28

Wednesday	Thursday	Friday	Saturday
1	2	3	4
8	9	10	11
15	16	17	18
22	23	24	25
29	30	31	

NOTES

	Sunday	Monday	Tuesday
June 2024			
Main Focus	2	3	4
	9	10	11
To Do ○ ○ ○ ○ ○ ○ ○ ○ ○ ○ ○ ○	16 Father's Day	17	18
	23	24	25
	30		

Wednesday	Thursday	Friday	Saturday
			1
5	6	7	8
12	13	14	15
19 Juneteenth	20	21	22
26	27	28	29

NOTES

July

2024

Main Focus

To Do

- ○ _____
- ○ _____
- ○ _____
- ○ _____
- ○ _____
- ○ _____
- ○ _____
- ○ _____
- ○ _____
- ○ _____
- ○ _____
- ○ _____

Sunday	Monday	Tuesday
	1	2
7	8	9
14	15	16
21	22	23
28	29	30

Wednesday	Thursday	Friday	Saturday
3	4	5	6
	Independence Day		
10	11	12	13
17	18	19	20
24	25	26	27
31			

NOTES

August 2024

Sunday	Monday	Tuesday
4	5	6
11	12	13
18	19	20
25	26	27

Main Focus

To Do

- ○ _____
- ○ _____
- ○ _____
- ○ _____
- ○ _____
- ○ _____
- ○ _____
- ○ _____
- ○ _____
- ○ _____
- ○ _____

Wednesday	Thursday	Friday	Saturday
	1	2	3
7	8	9	10
14	15	16	17
21	22	23	24
28	29	30	31

NOTES

	Sunday	Monday	Tuesday
SEPTEMBER 2024	1	2 Labor Day	3
Main Focus	8	9	10
	15	16	17
To Do ○ _____ ○ _____ ○ _____ ○ _____ ○ _____ ○ _____ ○ _____ ○ _____ ○ _____ ○ _____ ○ _____	22	23	24
	29	30	

Wednesday	Thursday	Friday	Saturday
4	5	6	7
11	12	13	14
18	19	20	21
25	26	27	28

NOTES

October

2024

Main Focus

To Do

- ○ _____
- ○ _____
- ○ _____
- ○ _____
- ○ _____
- ○ _____
- ○ _____
- ○ _____
- ○ _____
- ○ _____
- ○ _____

Sunday	Monday	Tuesday
		1
6	7	8
13	14 Columbus Day	15
20	21	22
27	28	29

Wednesday	Thursday	Friday	Saturday
2	3	4	5
9	10	11	12
16	17	18	19
23	24	25	26
30	31 Halloween		

NOTES

November

2024

Main Focus

To Do

- ○ _____
- ○ _____
- ○ _____
- ○ _____
- ○ _____
- ○ _____
- ○ _____
- ○ _____
- ○ _____
- ○ _____
- ○ _____

Sunday	Monday	Tuesday
3	4	5
10	11 Veterans Day	12
17	18	19
24	25	26

Wednesday	Thursday	Friday	Saturday
		1	2
6	7	8	9
13	14	15	16
20	21	22	23
27	28 Thanksgiving Day	29	30

NOTES

December

2024

	Sunday	Monday	Tuesday
Main Focus	1	2	3
	8	9	10
To Do ○ ____ ○ ____ ○ ____ ○ ____ ○ ____ ○ ____	15	16	17
○ ____ ○ ____ ○ ____ ○ ____ ○ ____	22	23	24
	29	30	31 New Year's Eve

Wednesday	Thursday	Friday	Saturday
4	5	6	7
11	12	13	14
18	19	20	21
25 Christmas Day	26	27	28

NOTES

2025

January

S	M	T	W	T	F	S
			1	2	3	4
5	6	7	8	9	10	11
12	13	14	15	16	17	18
19	20	21	22	23	24	25
26	27	28	29	30	31	

February

S	M	T	W	T	F	S
						1
2	3	4	5	6	7	8
9	10	11	12	13	14	15
16	17	18	19	20	21	22
23	24	25	26	27	28	

March

S	M	T	W	T	F	S
						1
2	3	4	5	6	7	8
9	10	11	12	13	14	15
16	17	18	19	20	21	22
23	24	25	26	27	28	29
30	31					

April

S	M	T	W	T	F	S
		1	2	3	4	5
6	7	8	9	10	11	12
13	14	15	16	17	18	19
20	21	22	23	24	25	26
27	28	29	30			

May

S	M	T	W	T	F	S
				1	2	3
4	5	6	7	8	9	10
11	12	13	14	15	16	17
18	19	20	21	22	23	24
25	26	27	28	29	30	31

June

S	M	T	W	T	F	S
1	2	3	4	5	6	7
8	9	10	11	12	13	14
15	16	17	18	19	20	21
22	23	24	25	26	27	28
29	30					

July

S	M	T	W	T	F	S
		1	2	3	4	5
6	7	8	9	10	11	12
13	14	15	16	17	18	19
20	21	22	23	24	25	26
27	28	29	30	31		

August

S	M	T	W	T	F	S
					1	2
3	4	5	6	7	8	9
10	11	12	13	14	15	16
17	18	19	20	21	22	23
24	25	26	27	28	29	30
31						

September

S	M	T	W	T	F	S
	1	2	3	4	5	6
7	8	9	10	11	12	13
14	15	16	17	18	19	20
21	22	23	24	25	26	27
28	29	30				

October

S	M	T	W	T	F	S
			1	2	3	4
5	6	7	8	9	10	11
12	13	14	15	16	17	18
19	20	21	22	23	24	25
26	27	28	29	30	31	

November

S	M	T	W	T	F	S
						1
2	3	4	5	6	7	8
9	10	11	12	13	14	15
16	17	18	19	20	21	22
23	24	25	26	27	28	29
30						

December

S	M	T	W	T	F	S
	1	2	3	4	5	6
7	8	9	10	11	12	13
14	15	16	17	18	19	20
21	22	23	24	25	26	27
28	29	30	31			

2025 Year Plans and Goals

January	February	March

April	May	June

July	August	September

October	November	December

Goals

☐ _____   ☐ _____

☐ _____   ☐ _____

☐ _____   ☐ _____

☐ _____   ☐ _____

☐ _____   ☐ _____

January

2025

Main Focus

To Do

- ○ _____
- ○ _____
- ○ _____
- ○ _____
- ○ _____
- ○ _____
- ○ _____
- ○ _____
- ○ _____
- ○ _____
- ○ _____
- ○ _____

Sunday	Monday	Tuesday
5	6	7
12	13	14
19	20	21
	Martin Luther King Jr. Day	
26	27	28

Wednesday	Thursday	Friday	Saturday
1 New Year's Day	2	3	4
8	9	10	11
15	16	17	18
22	23	24	25
29	30	31	

NOTES

FEBRUARY
2025

Main Focus

To Do
- ○ _____
- ○ _____
- ○ _____
- ○ _____
- ○ _____
- ○ _____
- ○ _____
- ○ _____
- ○ _____
- ○ _____
- ○ _____
- ○ _____

Sunday	Monday	Tuesday
2	3	4
9	10	11
16	17	18
	President's Day	
23	24	25

Wednesday	Thursday	Friday	Saturday
			1
5	6	7	8
12	13	14 Valentine's Day	15
19	20	21	22
26	27	28	

NOTES

Sunday	Monday	Tuesday
2	3	4
9	10	11
16	17 St. Patrick's Day	18
23	24	25
30	31	

Main Focus

To Do

- ○ _____
- ○ _____
- ○ _____
- ○ _____
- ○ _____
- ○ _____
- ○ _____
- ○ _____
- ○ _____
- ○ _____
- ○ _____

Wednesday	Thursday	Friday	Saturday
			1
5	6	7	8
12	13	14	15
19	20	21	22
26	27	28	29

NOTES

April 2025

Main Focus

To Do
- ○ _____
- ○ _____
- ○ _____
- ○ _____
- ○ _____
- ○ _____
- ○ _____
- ○ _____
- ○ _____
- ○ _____
- ○ _____

Sunday	Monday	Tuesday
		1
6	7	8
13	14	15
20 Easter Sunday	21	22
27	28	29

Wednesday	Thursday	Friday	Saturday
2	3	4	5
9	10	11	12
16	17	18	19
23	24	25	26
30			

NOTES

May

2025

Main Focus

To Do

- ○ _____
- ○ _____
- ○ _____
- ○ _____
- ○ _____
- ○ _____
- ○ _____
- ○ _____
- ○ _____
- ○ _____
- ○ _____

Sunday	Monday	Tuesday
4	5	6
11	12	13
Mother's Day		
18	19	20
25	26	27
	Memorial Day	

Wednesday	Thursday	Friday	Saturday
	1	2	3
7	8	9	10
14	15	16	17
21	22	23	24
28	29	30	31

NOTES

June 2025

Main Focus

To Do
- ○ _____
- ○ _____
- ○ _____
- ○ _____
- ○ _____
- ○ _____
- ○ _____
- ○ _____
- ○ _____
- ○ _____
- ○ _____
- ○ _____

Sunday	Monday	Tuesday
1	2	3
8	9	10
15 Father's Day	16	17
22	23	24
29	30	

Wednesday	Thursday	Friday	Saturday
4	5	6	7
11	12	13	14
18	19 Juneteenth	20	21
25	26	27	28

NOTES

July 2025	Sunday	Monday	Tuesday
			1
	6	7	8
	13	14	15
	20	21	22
	27	28	29

Main Focus

To Do
- ○ _____
- ○ _____
- ○ _____
- ○ _____
- ○ _____
- ○ _____
- ○ _____
- ○ _____
- ○ _____
- ○ _____
- ○ _____

Wednesday	Thursday	Friday	Saturday
2	3	4 Independence Day	5
9	10	11	12
16	17	18	19
23	24	25	26
30	31		

NOTES

August 2025

Main Focus

To Do

- ○
- ○
- ○
- ○
- ○
- ○
- ○
- ○
- ○
- ○
- ○

Sunday	Monday	Tuesday
3	4	5
10	11	12
17	18	19
24	25	26
31		

Wednesday	Thursday	Friday	Saturday
		1	2
6	7	8	9
13	14	15	16
20	21	22	23
27	28	29	30

NOTES

SEPTEMBER 2025

Main Focus

To Do

- ○ _____
- ○ _____
- ○ _____
- ○ _____
- ○ _____
- ○ _____
- ○ _____
- ○ _____
- ○ _____
- ○ _____
- ○ _____
- ○ _____

Sunday	Monday	Tuesday
	1 Labor Day	2
7	8	9
14	15	16
21	22	23
28	29	30

Wednesday	Thursday	Friday	Saturday
3	4	5	6
10	11	12	13
17	18	19	20
24	25	26	27

NOTES

October 2025

Main Focus

To Do
- ○ _____
- ○ _____
- ○ _____
- ○ _____
- ○ _____
- ○ _____
- ○ _____
- ○ _____
- ○ _____
- ○ _____
- ○ _____
- ○ _____

Sunday	Monday	Tuesday
5	6	7
12	13 Columbus Day	14
19	20	21
26	27	28

Wednesday	Thursday	Friday	Saturday
1	2	3	4
8	9	10	11
15	16	17	18
22	23	24	25
29	30	31 Halloween	

NOTES

November

2025

Main Focus

To Do

- ◯ _____
- ◯ _____
- ◯ _____
- ◯ _____
- ◯ _____
- ◯ _____
- ◯ _____
- ◯ _____
- ◯ _____
- ◯ _____
- ◯ _____
- ◯ _____

Sunday	Monday	Tuesday
2	3	4
9	10	11 Veterans Day
16	17	18
23	24	25
30		

Wednesday	Thursday	Friday	Saturday
			1
5	6	7	8
12	13	14	15
19	20	21	22
26	27 Thanksgiving Day	28	29

NOTES

Main Focus

To Do

- ○ _____
- ○ _____
- ○ _____
- ○ _____
- ○ _____
- ○ _____
- ○ _____
- ○ _____
- ○ _____
- ○ _____
- ○ _____
- ○ _____

Sunday	Monday	Tuesday
	1	2
7	8	9
14	15	16
21	22	23
28	29	30

Wednesday	Thursday	Friday	Saturday
3	4	5	6
10	11	12	13
17	18	19	20
24	25 Christmas Day	26	27
31 New Year's Eve			

NOTES

2026

January

S	M	T	W	T	F	S
				1	2	3
4	5	6	7	8	9	10
11	12	13	14	15	16	17
18	19	20	21	22	23	24
25	26	27	28	29	30	31

February

S	M	T	W	T	F	S
1	2	3	4	5	6	7
8	9	10	11	12	13	14
15	16	17	18	19	20	21
22	23	24	25	26	27	28

March

S	M	T	W	T	F	S
1	2	3	4	5	6	7
8	9	10	11	12	13	14
15	16	17	18	19	20	21
22	23	24	25	26	27	28
29	30	31				

April

S	M	T	W	T	F	S
			1	2	3	4
5	6	7	8	9	10	11
12	13	14	15	16	17	18
19	20	21	22	23	24	25
26	27	28	29	30		

May

S	M	T	W	T	F	S
					1	2
3	4	5	6	7	8	9
10	11	12	13	14	15	16
17	18	19	20	21	22	23
24	25	26	27	28	29	30
31						

June

S	M	T	W	T	F	S
	1	2	3	4	5	6
7	8	9	10	11	12	13
14	15	16	17	18	19	20
21	22	23	24	25	26	27
28	29	30				

July

S	M	T	W	T	F	S
			1	2	3	4
5	6	7	8	9	10	11
12	13	14	15	16	17	18
19	20	21	22	23	24	25
26	27	28	29	30	31	

August

S	M	T	W	T	F	S
						1
2	3	4	5	6	7	8
9	10	11	12	13	14	15
16	17	18	19	20	21	22
23	24	25	26	27	28	29
30	31					

September

S	M	T	W	T	F	S
		1	2	3	4	5
6	7	8	9	10	11	12
13	14	15	16	17	18	19
20	21	22	23	24	25	26
27	28	29	30			

October

S	M	T	W	T	F	S
				1	2	3
4	5	6	7	8	9	10
11	12	13	14	15	16	17
18	19	20	21	22	23	24
25	26	27	28	29	30	31

November

S	M	T	W	T	F	S
1	2	3	4	5	6	7
8	9	10	11	12	13	14
15	16	17	18	19	20	21
22	23	24	25	26	27	28
29	30					

December

S	M	T	W	T	F	S
		1	2	3	4	5
6	7	8	9	10	11	12
13	14	15	16	17	18	19
20	21	22	23	24	25	26
27	28	29	30	31		

2026 Year Plans and Goals

January	February	March
April	May	June
July	August	September
October	November	December

Goals

- ☐ _____
- ☐ _____
- ☐ _____
- ☐ _____
- ☐ _____

- ☐ _____
- ☐ _____
- ☐ _____
- ☐ _____
- ☐ _____

January 2026

Main Focus

To Do
- ○ _____
- ○ _____
- ○ _____
- ○ _____
- ○ _____
- ○ _____
- ○ _____
- ○ _____
- ○ _____
- ○ _____
- ○ _____
- ○ _____

Sunday	Monday	Tuesday
4	5	6
11	12	13
18	19 Martin Luther King Jr. Day	20
25	26	27

Wednesday	Thursday	Friday	Saturday
	1 New Year's Day	2	3
7	8	9	10
14	15	16	17
21	22	23	24
28	29	30	31

NOTES

Main Focus

To Do

- ○ _____
- ○ _____
- ○ _____
- ○ _____
- ○ _____
- ○ _____
- ○ _____
- ○ _____
- ○ _____
- ○ _____
- ○ _____
- ○ _____

Sunday	Monday	Tuesday
1	2	3
8	9	10
15	16 President's Day	17
22	23	24

Wednesday	Thursday	Friday	Saturday
4	5	6	7
11	12	13	14 Valentine's Day
18	19	20	21
25	26	27	28

NOTES

MARCH

2026

	Sunday	Monday	Tuesday
Main Focus	1	2	3
	8	9	10
To Do	15	16	17 St. Patrick's Day
	22	23	24
	29	30	31

To Do
- ○ _____
- ○ _____
- ○ _____
- ○ _____
- ○ _____
- ○ _____
- ○ _____
- ○ _____
- ○ _____
- ○ _____
- ○ _____
- ○ _____

Wednesday	Thursday	Friday	Saturday
4	5	6	7
11	12	13	14
18	19	20	21
25	26	27	28

NOTES

April

2026

Main Focus	

To Do

- ○ _____
- ○ _____
- ○ _____
- ○ _____
- ○ _____
- ○ _____
- ○ _____
- ○ _____
- ○ _____
- ○ _____
- ○ _____

Sunday	Monday	Tuesday
5	6	7
Easter Sunday		
12	13	14
19	20	21
26	27	28

Wednesday	Thursday	Friday	Saturday
1	2	3	4
8	9	10	11
15	16	17	18
22	23	24	25
29	30		

NOTES

May 2026

Main Focus

To Do
- ○ _____
- ○ _____
- ○ _____
- ○ _____
- ○ _____
- ○ _____
- ○ _____
- ○ _____
- ○ _____
- ○ _____
- ○ _____
- ○ _____

Sunday	Monday	Tuesday
3	4	5
10 Mother's Day	11	12
17	18	19
24	25 Memorial Day	26
31		

Wednesday	Thursday	Friday	Saturday
		1	2
6	7	8	9
13	14	15	16
20	21	22	23
27	28	29	30

NOTES

June

2026

Main Focus

To Do

- ○ _____
- ○ _____
- ○ _____
- ○ _____
- ○ _____
- ○ _____
- ○ _____
- ○ _____
- ○ _____
- ○ _____
- ○ _____
- ○ _____

Sunday	Monday	Tuesday
	1	2
7	8	9
14	15	16
21	22	23
28 Father's Day	29	30

Wednesday	Thursday	Friday	Saturday
3	4	5	6
10	11	12	13
17	18	19 Juneteenth	20
24	25	26	27

NOTES

July
2026

Main Focus

To Do

- ○ _____
- ○ _____
- ○ _____
- ○ _____
- ○ _____
- ○ _____
- ○ _____
- ○ _____
- ○ _____
- ○ _____
- ○ _____

Sunday	Monday	Tuesday
5	6	7
12	13	14
19	20	21
26	27	28

Wednesday	Thursday	Friday	Saturday
1	2	3	4 Independence Day
8	9	10	11
15	16	17	18
22	23	24	25
29	30	31	

NOTES

August

2026

Main Focus

To Do

- ○ _____
- ○ _____
- ○ _____
- ○ _____
- ○ _____
- ○ _____
- ○ _____
- ○ _____
- ○ _____
- ○ _____
- ○ _____
- ○ _____

Sunday	Monday	Tuesday
2	3	4
9	10	11
16	17	18
23	24	25
30	31	

Wednesday	Thursday	Friday	Saturday
			1
5	6	7	8
12	13	14	15
19	20	21	22
26	27	28	29

NOTES

SEPTEMBER 2026

Main Focus

To Do

- ○ _____
- ○ _____
- ○ _____
- ○ _____
- ○ _____
- ○ _____
- ○ _____
- ○ _____
- ○ _____
- ○ _____
- ○ _____
- ○ _____

Sunday	Monday	Tuesday
		1
6	7 Labor Day	8
13	14	15
20	21	22
27	28	29

Wednesday	Thursday	Friday	Saturday
2	3	4	5
9	10	11	12
16	17	18	19
23	24	25	26
30			

NOTES

October 2026

Main Focus

To Do

- ○ _____
- ○ _____
- ○ _____
- ○ _____
- ○ _____
- ○ _____
- ○ _____
- ○ _____
- ○ _____
- ○ _____
- ○ _____

Sunday	Monday	Tuesday
4	5	6
11	12 Columbus Day	13
18	19	20
25	26	27

Wednesday	Thursday	Friday	Saturday
	1	2	3
7	8	9	10
14	15	16	17
21	22	23	24
28	29	30	31 Halloween

NOTES

November

2026

Main Focus

To Do

- ○ _____
- ○ _____
- ○ _____
- ○ _____
- ○ _____
- ○ _____
- ○ _____
- ○ _____
- ○ _____
- ○ _____
- ○ _____

Sunday	Monday	Tuesday
1	2	3
8	9	10
15	16	17
22	23	24
29	30	

Wednesday	Thursday	Friday	Saturday
4	5	6	7
11 Veterans Day	12	13	14
18	19	20	21
25	26 Thanksgiving Day	27	28

NOTES

DECEMBER

2026

Main Focus

To Do

- ○
- ○
- ○
- ○
- ○
- ○
- ○
- ○
- ○
- ○
- ○

Sunday	Monday	Tuesday
		1
6	7	8
13	14	15
20	21	22
27	28	29

Wednesday	Thursday	Friday	Saturday
2	3	4	5
9	10	11	12
16	17	18	19
23	24	25 Christmas Day	26
30	31 New Year's Eve		

NOTES

NOTES

NOTES

Made in the USA
Columbia, SC
28 September 2022

68129233R00074